天涼好個秋

賞析別冊

讀詞曲，學漢字

賞析撰文／余遠炫　　繪圖／王書曼

小天下

余遠炫

台大中文系畢業，台師大國文所碩士。
桃園中壢地區客家子弟，
新聞是他的職業，擔任記者、主管等職。
爾後投入爲少年寫作。
近年致力古典小說改寫與詩詞賞析，
希望把優秀的古人作品與觀念帶給今人。
著有《中國文學》、《落鼻祖師》、
《春秋爭霸》、《從前從前有一條龍》、
以及《基測作文不可犯的五十個錯誤》（合集）等書。

王書曼

台中技術學院商業設計系畢。
作品曾入選2006義大利波隆那國際兒童書插畫展。
喜歡太陽天、喜歡大自然、喜歡看電影、
喜歡聽音樂，更喜歡作夢。
畫畫是興趣，畫出一個個令人感動的夢想，
爲「夢想」努力中……。

賞析別冊

天涼好個秋

讀詞曲，學漢字

賞析撰文／余遠炫　繪圖／王書曼

定風波

◎蘇軾

莫聽穿林打葉聲，
何妨吟嘯且徐行。
竹杖芒鞋輕勝馬，　誰怕？
一簑煙雨任平生。

料峭春風吹酒醒，　微冷，
山頭斜照卻相迎。
回首向來蕭瑟處，　歸去，
也無風雨也無晴。

翻譯

不要理會風雨吹打樹葉的聲音，不妨放慢腳步，一邊歌唱。拿著竹杖，穿著草鞋，卻輕快得勝過騎馬，風雨又有什麼好怕的？即使是煙雨迷濛，穿戴上斗笠簑衣，也可以安然度過。

春天還帶著寒意，微冷的風吹醒了我的酒意。不經意抬頭一望，山後的夕陽斜照，彷彿迎接著我的歸來。回頭看著風雨吹打過的樹林，歸去吧！是風雨還是晴天，都已經不那麼重要了。

賞析

北宋大文豪蘇軾（蘇東坡）用這闋詞回答、安慰遭遇挫折困頓的人。蘇東坡因為政治主張與當權者不合，經常被貶到偏遠地區當官。

〈定風波〉表面上似乎在講天氣，實際卻是在暗示人生的現實。穿林打葉聲就是現實中的種種打擊；山頭斜照的陽光，則是克服困境的喜悅。竹杖芒鞋象徵平凡的生活，甘苦而有滋味。詞中的「馬」代表人人渴望追求的富貴與官宦生活。蘇東坡甘於平凡，不願同流合汙換取功名利祿，不論敵人怎麼折磨，他仍能以開朗達觀的心情面對。

蘇東坡在這闋詞的詞牌下，其實還有個小序，說明作詞的緣由：「三月七日沙湖道中遇雨，雨具先去，同行皆狼狽，余獨不覺。已而遂晴，故作此。」

被貶到黃州的蘇東坡，跟幾個朋友及隨從在黃州四處遊覽。回程途中遇到大雨，雨具給了隨從護著眷屬，幾個大男人就只得淋雨。大家都覺得全身溼透實在狼狽，只有蘇東坡完全不理會風雨，拄著手杖，穿著草鞋，在雨中漫步，感覺比騎馬還要輕快！

不久，風雨停了。蘇東坡想通了，人生就像他走過的這條路一樣，會遇到晴天，也難免遇到風雨。所以，一時挫折失意算得了什麼？風雨也好、晴天也罷，皆能平靜看待，兩相忘懷。這種超越的境界，使他隨遇而安，心無罣礙。

認識漢字

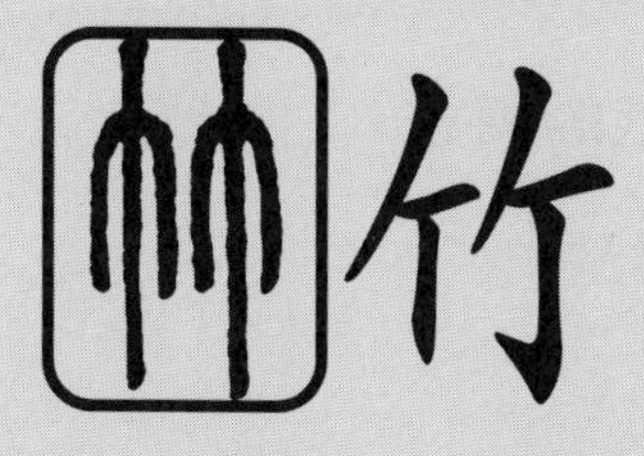

「竹」是一個象形字，模樣就像是兩根細細的竹枝，加上兩片低垂的葉子。或者，也可以看成是一組葉片。竹葉開始生長時，是從竹枝的頂端長出一組葉片，每一組都有三片葉子。中國人對竹子可說是情有獨鍾，它順從、堅忍、虛心和常綠的特性，經常激勵著失意的人心。

浣溪沙

◎晏殊

一曲新詞酒一杯，
去年天氣舊亭臺，
夕陽西下幾時回？

無可奈何花落去，
似曾相識燕歸來，
小園香徑獨徘徊。

翻譯

聽一曲最新填上的新詞，斟一杯美酒。現在正是晚春時節，不由得想起了去年這個時候，天氣沒有什麼不同，亭臺也是一樣，但我的心境卻有了轉變。看著西下的夕陽，心中想著，何時才能再現光芒？

花朵凋零了，留不住綻放時的美麗，眞是無可奈何。似曾相識的燕子從南方歸來，再度停留在畫堂上，我獨自在小庭園的花徑上流連徘徊。

賞析

作者晏殊是北宋時期有名的宰相。他的兒子叫做晏幾道，也是著名的詞人，因此人們稱晏殊為「大晏」，晏幾道為「小晏」。晏殊從小就是個神童，十四歲那年，跟著上千人參加考試，皇帝非常欣賞他，賜給他進士頭銜，讓很多人羨慕不已。晏殊官運很好，而且提拔了許多人才，歐陽脩、范仲淹等北宋名臣與詞人張先，都是他的學生。

〈浣溪沙〉詞的上片（第一段）描述一個歡樂的宴會場合。他跟著大家一起填詞喝酒，非常快樂。詞又稱為曲子詞，是非常具有音樂性的文學，文人雅士跟著詞牌宮調譜上文辭，就像我們現在為歌曲填詞一樣。晏殊忽然想起了去年此時，一樣的天氣、一樣的亭臺，但卻有了人事已非的感受，所以有了「夕陽西下幾時回」的感慨。

下片（第二段）呈現出晏殊個人的體悟。他走在充滿香氣的小園花徑上，看著地上原本盛開的花朵最後仍不免凋落；抬頭望著梁上畫堂一角，彷彿曾經見過的燕子也從南方回來。在花開花落、燕去燕回之間，他想到了人生的變化無常，不自覺的在小園花徑上徘徊良久。

從原本高興又開心的場合開始，到結束時的蒼茫獨立，中間經歷了許多波折。於是有了「無可奈何花落去，似曾相識燕歸來」的感慨。

認識漢字

燕是跟人類相當親近的鳥類，喜歡在人類居處的屋簷或梁柱旁築巢。「燕」這個字就是燕子在空中飛的樣子，對稱的翅膀，明顯的鳥嘴和尾巴都畫得很清楚。經過一段時間的文字演變之後，鳥嘴與翅膀依稀可見，尾巴則變成了四個點，這四點代表燕子的尾巴。

生查子

◎歐陽脩

去年元夜時，
花市燈如晝；
月上柳梢頭，
人約黃昏後。

今年元夜時，
月與燈依舊；
不見去年人，
淚滿春衫袖。

去年元宵節的夜晚，明亮的花燈把市集照耀得像白晝一樣光亮。一輪明月爬上柳樹梢，人們相約在黃昏後的傍晚見面。

今年元宵節的夜晚，明月和花燈依舊明亮燦爛。我卻看不到去年見面的人，流下的淚水沾溼了衣袖。

賞析

元宵節是中國重要的傳統節日，在元宵節這一天，吃著象徵團圓的湯圓，欣賞各式各樣的美麗花燈，動動腦猜猜燈謎，真是熱鬧有趣。不過這闋詞卻是在熱鬧背後，隱藏著濃濃的思念。

詞的上片是去年元宵節的回憶，這裡說的花市，並不是真正賣花的市場，而是指欣賞花燈而自然形成的市集，當然可能有人賣花，更有可能販賣各種產品，有吃、有玩、有熱鬧可看。傍晚時分，月亮將要爬上柳樹梢的時刻，更是情人約會的好時機。「人約黃昏後」是一種浪漫的感覺，約會為什麼要選在黃昏後呢？因為馬上就要天黑了，可以跟喜歡的人一起賞月啊！

詞的下片則從回憶回到現實，今年的元宵節花市依然熱鬧，但是去年一起看花燈賞明月的人，今年卻沒有出現。想到這裡，忽然有種悲傷的感覺湧上心頭，忍不住掉下眼淚，沾溼了衣袖。「淚滿春衫袖」是一種誇張的形容，因為要把寬大的衣袖哭溼了，至少需要一公升的眼淚吧！不過可以藉此體會作詞人悲傷的心情。

認識漢字

柳是形聲字。左手偏旁的「木」，代表柳是木本植物；右邊的「卯」是聲符。柳是一種落葉喬木或灌木，枝葉細長，柔軟下垂，喜歡水邊溼地。柳樹又稱爲「楊柳」，但其實「楊」與「柳」是兩種不同的植物。隋煬帝楊廣遊江南時，賜柳樹姓「楊」，柳樹就這樣很不甘願的被一個昏君稱爲「楊柳」。

西江月

◎辛棄疾

明月別枝驚鵲，
清風半夜鳴蟬。
稻花香裡說豐年，
聽取蛙聲一片。

七八個星天外，
兩三點雨山前。
舊時茅店社林邊，
路轉溪橋忽見。

翻譯

明亮的月兒高高掛在天空，枝頭上的喜鵲驚拍著翅膀，夜半時分吹來一陣清風，蟬叫聲此起彼落的鳴唱。陣陣傳來的稻香中伴隨著青蛙大合唱，好像在慶祝今年的豐收。

天空上僅見七、八顆稀疏的星星，兩、三滴雨灑落山前。我依稀記得樹林裡土地公廟旁邊有個茅草小店，怎麼沒看見？轉個彎再經過一座小橋，原來小店就在這兒呢。

賞析

這是宋朝愛國詞人辛棄疾被貶官，閒居江西時所寫的作品。內容描寫他在某個夏天夜晚經過黃沙嶺時，看到、聽到與感受到農村生活的恬適美好與人生的體悟，這闋詞不只是辛棄疾有名的詞，在宋詞中也是相當難得的作品。

明月高掛天空，月光驚動了停在斜枝上的喜鵲。一陣清風吹來，引起樹上的蟬兒高聲鳴叫。明月與清風只是一個細微的變化，竟然牽動著整個夏夜局勢的開展。稻田裡散發著芬芳的稻草味道，蛙群們賣力的叫著，好像在慶祝有個豐收的好年。詞的上片，無論視覺、聽覺還是嗅覺，對夏夜農村景色都有生動的描寫。尤其是「稻花香裡說豐年，聽取蛙聲一片」更是神來之筆，因為「說豐年」的是青蛙，讓人產生愉快的感受，而且巧妙的連接下片，具有關鍵性的轉折。

詞的上片寫景物，下片寫人物。接下來描寫夏夜的景色突然變化。烏雲遮蔽了明月，天空裡僅見七、八顆稀疏的星星；烏雲飄至山前，臉上感受到兩、三滴的雨滴。下雨了，趕快到山後避雨去。在夜色中匆忙的趕路，心裡一急，就找不到過去印象中樹林裡土地公廟旁的茅草小店。原來，轉個彎再過一座橋，小店就在眼前。

認識漢字

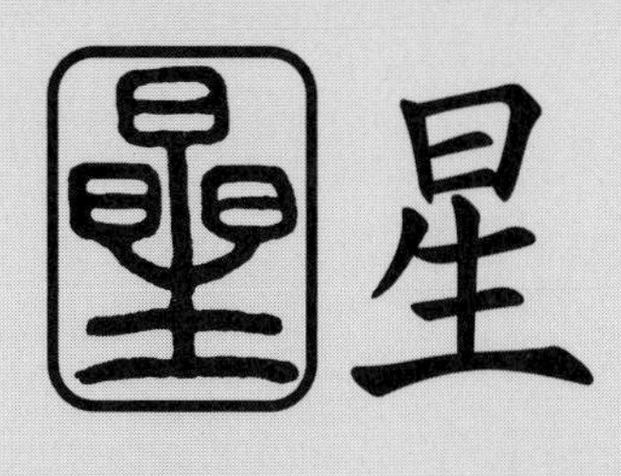

「星」是象形文字，但現在看到星字是由「日」與「生」兩個字組成的。古人在造星字時，爲了要跟代表太陽的「日」有所區別，於是寫了三個日字，也就是「晶」字，然後加上「生」字，告訴大家這個字怎麼讀。後來「晶」字省略筆劃，就成了現在我們看到的「星」字了。

卜算子

◎李之儀

我住長江頭，
君住長江尾，
日日思君不見君，
共飲長江水。

此水幾時休？
此恨何時已？
只願君心似我心，
定不負相思意。

翻譯

我住在長江上游這一頭，你住在長江下游那一邊，每天想念你，卻看不見你，只能和你同樣喝著長江的水。長江水何時才會停止奔流？我對你的思念什麼時候才能停止？但願你的心如同我的心一般，不辜負我對你的思念之情。

賞析

根據傳統地理的說法，長江發源於青海，流經西康、雲南、四川、湖北、湖南、江西、安徽，最後在江蘇的吳淞口出海。雖然西康現在已經分別併入四川、雲南，長江好像少流經一個省分。但根據最新的勘查，長江發現新的源頭，總長增長為6211.3公里。

這樣的距離，對交通不發達的古代而言，顯得更加遙遠。宋人李之儀的這闋詞，非常巧妙的以長江的遙遠距離，來比喻相思的長遠。而距離的遙遠，卻又能夠藉由源遠流長的江水，牽繫住分隔兩地的人們。

詞的下半段讀起來很哀怨，是以一個女子的語氣描述。女子對著長江發脾氣，長江為什麼這麼長啊！長江水何時才能停下來呢？無奈，長江水未曾停下來，她的思念也沒有停止過。

究竟是誰愛誰多一點呢？「只願君心似我心，定不負相思意。」希望他愛我就像我愛他一樣。定不負相思意，是堅定的沉諾，不變的心意，也是濃厚的愛戀。

這闋詞的前兩句「我住長江頭，君住長江尾」也有作「君住長江頭，妾住長江尾」。我認為以前者為佳，較有男女之間相互尊重的感覺。

認識漢字

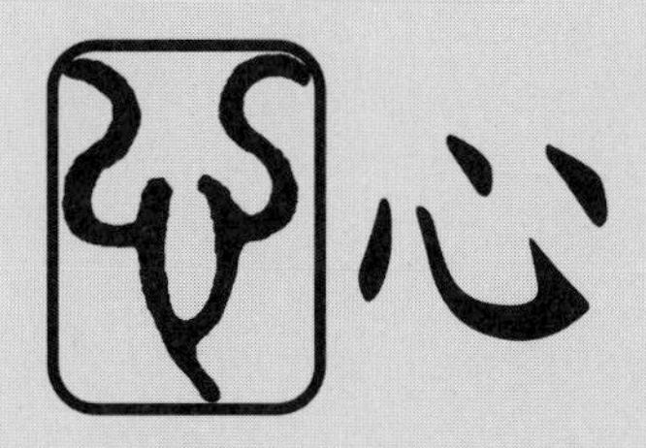

「心」是一個象形字，看起來就像一顆心的外形。古人認爲心是掌管思維記憶的器官，所以漢字中，跟心有關的字，大多也跟思維記憶、情感意志有關聯。

漁歌子

◎張志和

西塞山前白鷺飛，

桃花流水鱖魚肥。

青箬笠， 綠簑衣，

斜風細雨不須歸。

翻譯

西塞山前，白鷺鷥張開翅膀振翅飛翔，春天桃花盛開的季節，肥美的鱖魚在河裡游來游去。披著簑衣，戴著斗笠，美好的漁家生活，飄著微風細雨也不急著歸去。

賞析

〈漁歌子〉就像是一幅美麗的圖畫。遠方黛綠色的青山前，一群振翅飛翔的白鷺。近處的河水旁邊是開滿整樹鮮紅的桃花，流動的水中可見肥美的鱖魚。稱自己為「煙波釣徒」的唐朝詞人張志和，在微風細雨中戴著斗笠、披著簑衣，悠然獨釣。這種由遠到近的描寫，呈現出整幅圖畫的景深。加上青山、白鷺、桃花、鱖魚、斗笠與簑衣的顏色搭配，讓這首詞充滿和諧的美感。

作者巧妙的運用寫意而非寫實的顏色，來描寫漁家生活的美好。「青箬笠」、「綠簑衣」中的「青」和「綠」，並不是真實的顏色，而是形容詞，以顯示對煙波垂釣的閒適生活的嚮往。因此「斜風細雨不須歸」就變得有意義，張志和喜愛自然與漁家生活，吹著斜風、下著細雨，他只要戴上斗笠，披上簑衣，依然自由自在垂釣，暫時還不想歸去。

張志和的〈漁歌子〉把垂釣變成一件有情趣的事，這闕詞後來透過日本遣唐使傳到日本，受到當時的平安朝皇室的歡迎。嵯峨天皇十分推崇，在賀茂神社開宴賦詩，君臣之間彼此和唱，仿效張志和作〈漁歌子〉，也成為中日文化交流的一段佳話。

認識漢字

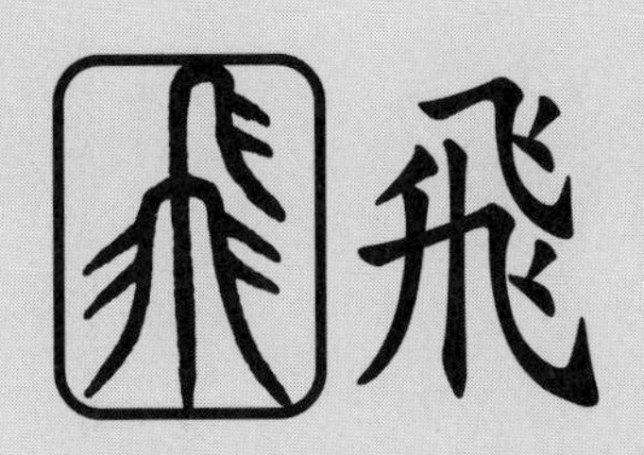

「飛」是一個象形字，但需要會意才能體會。飛字是鳥張開翅膀飛翔的樣子，而且還有鳥爪呢。

虞美人

◎李煜

春花秋月何時了，
往事知多少？
小樓昨夜又東風，
故國不堪回首月明中。

雕闌玉砌應猶在，
只是朱顏改。
問君能有幾多愁？
恰似一江春水向東流。

翻譯

春天的花、秋天的月，何時才會到盡頭，勾起多少埋藏在心中的往事。我居住的小樓昨天夜裡又起風了，月色中，想起曾經是我的國家，心中痛苦難以承受。

雕花欄杆與白玉台階應該還在，但當時的容顏卻已不再。若有人問我，心中到底有多少哀愁？我的哀愁就像是春天東流的江水，無止境的奔流不停。

賞析

這闋詞的作者是南唐後主李煜（李後主），他的個性軟弱，喜歡藝術文學，追求風花雪月。他是個非常有才情的人，但實在不適合當皇帝。面對比他強大的宋朝，李後主不敢稱帝，稱自己為「江南國主」。然而，宋朝的皇帝認為「臥榻之旁豈容他人酣睡」，於是派軍隊攻打南唐，李後主最後只好投降。

他曾經抵抗宋朝皇帝要他前往河南開封的命令，因此投降之後，被故意封為「違命侯」。李後主做了這首〈虞美人〉後，馬上就有人向皇帝宋太宗告狀，李後主就這樣被認為有造反的意圖，不幸遭到毒殺。

春花秋月都是賞心悅目的美好事物，但這些美好的景物卻因為亡國的哀痛而不堪回首。變成「違命侯」的李後主，住的地方變得簡陋，一舉一動也受到監視。一樣的春花、一樣的秋月，他卻已無心欣賞。他居住的小樓，吹了一夜的東風，讓他不由得想起了故國與往事，這些回憶讓他痛苦，卻也難以忘懷。

詞的下片是李後主對故國與往事的片段回憶。他想著故國宮院裡，雕花的欄杆與漢白玉砌成的台階，這些宮院建築應該還存在，沒有太大的改變。但景物依舊，人事已非。原本住在宮院的人，現在卻因亡國而失去了原本的笑顏。想到這裡，李後主愁緒滿懷，像滔滔江水般不停向東奔流。

認識漢字

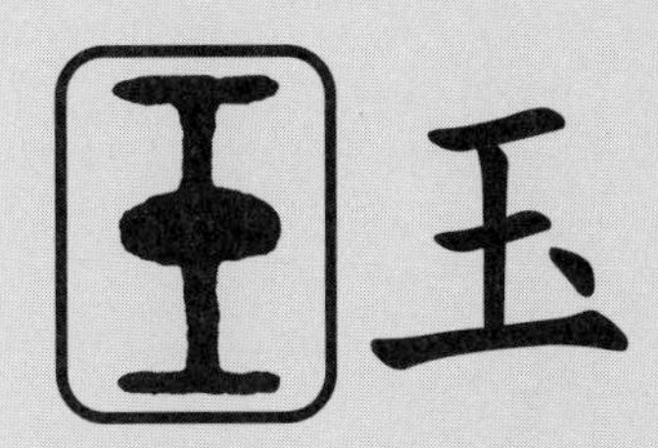

「玉」是象形字。三橫代表三塊玉石，中間的一豎代表一條絲繩。玉是美麗的石頭，古人認為玉有仁、義、智、勇、潔等五種品德，也就是玉色澤美麗溫潤，表裡一致。敲擊時聲音舒暢悅耳，堅韌而不被折彎，可以磨製得稜角方正，而不會割傷人。

花非花

◎白居易

花非花，　霧非霧，
夜半來，　天明去，
來如春夢無多時，
去似朝雲無覓處。

翻譯

看來是花又不是花，像霧又不是霧，夜半的時候來，天亮的時候走。來時就像春夢一樣，短暫停留，去的時候則像早上的雲彩般，飄散無處尋覓。

賞析

〈花非花〉這闕詞，像是在猜謎語。像花但不是花，像霧又不是霧。這個東西夜半來、天亮走，來的時候像春夢一樣短暫，去的時候像朝雲無處尋覓。這個謎語的答案究竟是什麼？看來只有問白居易本人才知道。

白居易的〈花非花〉看起來像是一首七言絕句詩，卻不是詩，而是詞。前面四句「花非花，霧非霧，夜半來，天明去」三個字一組，只有短短十二個字，卻顯得有節奏、有力量。最後兩句「來如春夢無多時，去似朝雲無覓處」是前四句的注解。這闕詞給人朦朦朧朧的感覺，因為他是用比喻的技巧寫成的，而且用了許多不同的比喻來說明同一件事物，在修辭學的技巧上，將這種技巧稱為「博喻」。

〈花非花〉整闕詞都是比喻，但因為不知道比喻的本體事物到底是什麼，所以想像空間特別大。宋朝的大文豪蘇東坡，曾經寫了一首〈水龍吟〉詞，其中「似花還似非花，也無人惜從教墜」句，就是受到白居易〈花非花〉的啓發。

人世間的變化本來就相當快，昨天還沉醉在歡愉中，今日卻得承受痛苦。〈花非花〉蘊含深沉的哲理與禪思，即使文字很白話，意境卻很高遠。白居易的詩淺顯容易了解，因為他希望透過詩來傳達個人的政治主張與想法，並讓更多人明白。

認識漢字

「花」字上面是草部，下面一個化，看起來比較像形聲字。因爲形聲字的特色，就是義符(顯示意義)加上聲符(表示聲音)的組合。但「花」其實是象形字，因爲它是從「華」字演變來的，外形像花朵含苞待放的樣子。華字有美麗豪華的感覺，所以被借用成華麗的華。

醜奴兒

◎辛棄疾

少年不識愁滋味，

愛上層樓。

愛上層樓，

為賦新詞強說愁。

而今識盡愁滋味，

欲說還休。

欲說還休，

卻道天涼好個秋！

翻譯

年少的時候還不能體會憂愁的滋味，卻總愛學文人雅士，登上高樓，爲了要作一首新詞，勉強裝出愁苦的模樣。

如今飽經滄桑，終於體會出憂愁滋味，卻因爲感觸太多，反而說不出口。滿懷的愁緒，卻只能說，天氣涼了，好個涼爽的秋天啊！

賞析

青春美好的少年時光，有點叛逆，又喜歡「為賦新詞強說愁」，但其實真正的憂愁滋味還沒體會呢！成長之後，經歷種種磨練，才能慢慢體會什麼叫憂愁。這其中的滋味，難以說得明白，只好輕描淡寫的說說天氣吧！

辛棄疾是南宋的愛國詞人，少年時期勇敢大膽，出生的故鄉被金人占領，他號召了兩千多人一起反抗金人。然而，南宋的皇帝從宋高宗開始，都只想當個偏安的皇帝，根本不想光復失土，辛棄疾努力奮鬥了幾十年以後，終於看清現實，因此感慨更深。

這闋〈醜奴兒〉就是他少年與中老年的心情寫照。為什麼是「天涼好個秋」呢？春天是喜悅而欣欣向榮的季節，夏天是萬物快速生長的時刻，冬天又太過寒冷，只有秋天將冷未冷，草木開始枯萎凋零，蕭索的感覺，符合辛棄疾孤寂的心情。

從「少年不識愁滋味」到「而今識盡愁滋味」，看似輕描淡寫，實際上卻有一段漫長的心路歷程。辛棄疾一心要恢復固有河山的夢想，被現實的政策澆熄，秋天的凋零、蕭索正適合抒發他孤寂的心情。

認識漢字

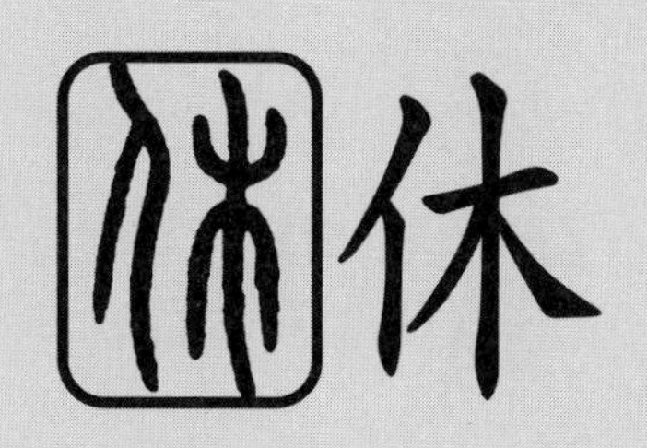

「休」是由「人」和「木」組合在一起的會意字，藉由兩個不同意義的象形字，組合成一個新的意義。「休」就是一個人靠在樹下休息的模樣。

相見歡

◎李煜

無言獨上西樓，月如鉤；

寂寞梧桐深院鎖清秋。

剪不斷，理還亂，是離愁；

別是一番滋味在心頭。

翻譯

一個人默默無語的登上西樓，缺月如鉤掛在天邊，在這淒清寒冷的秋夜，深深的庭院鎖住了梧桐樹，也鎖住了我寂寞的心。

想要剪斷心中的愁緒，卻怎麼也剪不斷，想要梳理心中的思緒，卻愈梳理心愈亂。這複雜的感覺就是離愁啊！離愁纏上心頭，這種滋味眞是不好受。

賞析

南唐李後主投降宋朝後，一直過著很不快樂的日子，幾乎是天天以淚洗面。他常常藉著詞，宣洩心中的鬱悶。著名的文學評論家王國維先生，認為李後主的詞改變了當時作詞的通病，雖然他不是個好皇帝，卻是天生的藝術家。李後主認真的赤子之心，與亡國之痛的遭遇，使得他的作品開啓了詞的新境界，不再只是歌頌風花雪月，更含有深沉的內涵。

詞的一開始描寫孤寂的身影，獨自一人走上西樓，沒有人陪伴，腳步也無比沉重。地上是孤寂的人影，天上則是殘缺的月，缺月如鉤，鉤起心中的愁緒。詞人寂寞的心，也像梧桐一般被愁緒所困。孤獨的人影、殘缺的月與清冷秋夜的梧桐，營造並強化了孤寂的感覺。

想要遠離這糾纏的愁緒，就像用利剪剪除一樣，但愁緒卻怎麼也剪不斷。無可奈何，只好梳理紊亂的愁緒，但千頭萬緒不知該如何才好。「剪不斷，理還亂」將抽象的情感，用具體的事物形容，並讓讀者產生認同，這是李後主詞的境界所在。

〈相見歡〉是詞牌名，詞牌類似現在的歌曲名稱，每個詞牌都有它的宮調，也就是歌譜，宮調如果不只一種，則稱為「諸宮調」。詞人根據詞牌與宮調填上歌詞。詞牌與歌詞內容不一定相符，這也是李後主這首〈相見歡〉為什麼一點也不歡的原因。

認識漢字

「秋」是「禾」與「火」兩個象形字組成的會意字。古代社會認爲，民以食爲天，所以「禾」代表糧食，「火」是金黃色的，象徵作物成熟。所以「秋」是收穫的季節，農作物經過春生夏長，到了秋天金黃遍地，等待收成呢！

望江南

◎李煜

多少恨，

昨夜夢魂中。

還似舊時遊上苑，

車如流水馬如龍，

花月正春風！

翻譯

多少遺憾與悔恨在我心中啊！昨天夜裡的一場夢，夢見自己還像往常一樣，與眾人一起在上林苑遊玩，車輛鼎盛川流如水，馬匹健壯駿逸，花與月都非常美好呢！

賞析

這首短詞雖然字數不多，震撼力卻相當強大。詞的一開始「多少恨」三個字，將心中最強烈感覺直接說出來。到底李後主在恨些什麼？「昨夜夢魂中」，原來，他的恨與他的夢是有關聯的。李後主原本是南唐國主偏安江南，自從投降宋朝之後，幾乎每天過著悲傷痛苦的日子。他的人生只有過去，卻不敢想像未來。反映在作品時，也幾乎都是透過夢境回憶過去的甜蜜，夢醒時分則萬分悲痛，苦不堪言。

夢中的世界是李後主暫時忘記哀傷的地方。身為亡國之君，李後主平時謹言慎行，小心翼翼，壓抑著內心的苦悶，只能透過詞曲發抒內心真實的情感。他對故國家園的懷念只能在夢中相見。夢中，他仍是南唐之主，后妃與群臣、隨從相伴，在上林苑飲酒作樂，賦詩填詞，真有說不出的快樂。

「車如流水馬如龍」是在形容來往的車輛鼎盛，馬匹健壯駿逸，川流不息的模樣。「花月正春風」，表面上在說春花秋月的美好，其實也是人最美好的時候。李後主這首短詞，字短情長，寫夢也寫醒，寫歡愉寄悲傷，令人同情。

王國維在《人間詞話》中推崇李後主，認為他的詞將伶工之詞變為士大夫之詞，而且堪稱是以血書寫的文學，具有博愛的胸懷。

認識漢字

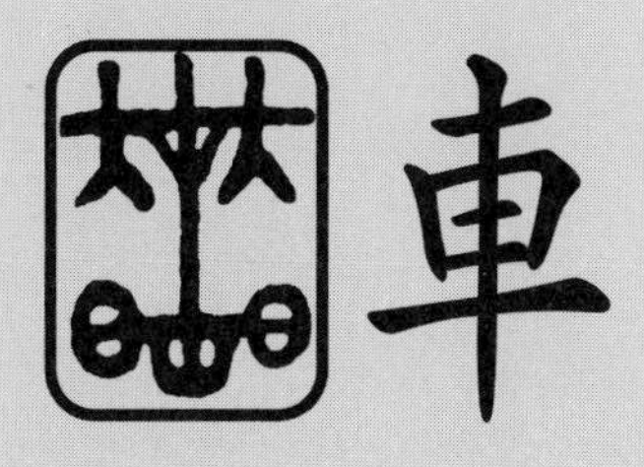

古人在造「車」字時，其實畫得很仔細，中間有車座，兩旁有車輪，再加上輪軸貫穿對稱。本來是兩個圓形的車輪。後來爲了方便書寫，於是轉變成方形車輪。數量也從兩個變成一個，再由橫打直，成了現在的「車」字模樣。

浪淘沙

◎李煜

簾外雨潺潺，　春意闌珊，
羅衾不耐五更寒。
夢裡不知身是客，
一晌貪歡。

獨自莫憑闌，　無限江山，
別時容易見時難。
流水落花春去也，
天上人間。

翻譯

簾外的春雨淅瀝瀝下個不停，春天快要走到盡頭，身上披著的薄被抵擋不住夜半的寒冷而醒了過來。我做了一場好夢，忘了現實中的過客身分，夢見自己還是主人，貪戀著夢中的美好與歡愉。

獨自一個人時，千萬不要倚著欄杆眺望，這樣只會徒增哀傷而已。別離了故國家園很容易，要再相見就很困難了。落花隨著流水流逝，春天也將告別離去，我與故國家園一個在天上，一個在人間，何時才能再見面啊！

賞析

李後主這首〈浪淘沙〉是在做了一場好夢後，不甘願的醒來，當他還是南唐皇帝時，也許還會鬧起床氣，但成為階下囚以後，只能感慨與哀傷了。

上片描述他睡醒後看到的景象，春末時分，李後主只披著薄被就寢，半夜吹來的寒風將他冷醒，簾外春雨綿綿密密的下個不停。風冷、心更冷，只有做夢的時候是溫暖的。他夢見自己仍像往常一樣，宴會作樂、吟詩賦詞，忘了現實生活中，他已經從一國之主變成了投降之臣。醒來以後，腦中所想的是盡是夢中美好的景物，不由得懷念起故國家園。

下片描述對故國家園的想念。登高樓的目的就是要眺望遠處，眺望遠處自然會倚著欄杆。「莫憑闌」的真正意思是不敢眺望故國家園，因為故國家園要離別很容易，要再見面卻很困難，登樓眺望只是讓自己徒增悲傷罷了。

「流水落花春去也，天上人間」，似乎在預告著他的生命就像春天到了盡頭一樣，即將消逝。果然，南唐李後主投降宋朝約三年，就在宋太宗的猜忌下喝毒藥而死，得年只有四十二歲。這闋詞從對春天消逝的依戀，轉而談到對故國家園的想念，情真意切、婉轉動人。「天上人間」似真似幻，夢與醒之間的迷離，綿綿的春雨，不敢登高遠眺的微妙心境，描述含蓄而深沉，是李後主的絕妙好辭。

認識漢字

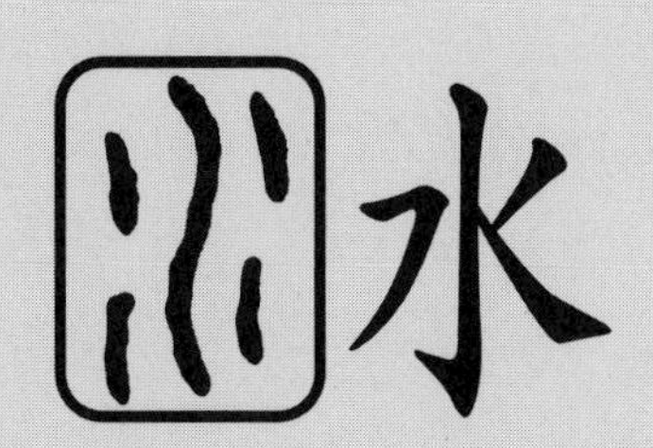

「水」是象形字，是以河水流動的樣子所造出來的。從水的古字可以看出河道、沙洲、水紋的形象。

山坡羊

◎陳草庵

晨雞初叫，

昏鴉爭噪，

哪個不去紅塵鬧？

路遙遙，　水迢迢，

功名盡在長安道，

今日少年明日老。

山，　依舊好；

人，　憔悴了。

翻譯

清晨，公雞每天大聲啼叫，黃昏時，烏鴉回巢聒噪紛鬧，公雞與烏鴉從早到晚不是啼叫就是聒噪，人世間的事情也是這樣喧騰熱鬧。儘管是道路遙遠、水路迢迢，爭取功名就在來往長安的道路上。求功名之路真是遙遠啊，今日的少年蹉跎了歲月，明日很快就衰老了。青山，依舊翠綠美好，人兒卻已憔悴衰老。

賞析

陳草庵是元朝人，不過生平已經淹沒，只知道他名英，字彥卿，號草庵。後人稱他為「前輩名公」、「陳草庵中丞」，去世時差不多快八十歲。許多優秀的元曲作家大多沒有留下什麼生平事蹟，因為元朝政府太不尊重讀書人，因此大多文人皆沒沒無聞，有的甚至一生窮途潦倒。

陳草庵的小令〈山坡羊〉，一開始先拿動物當比喻，公雞代表「早」，烏鴉代表「晚」，從早到晚一個喔喔啼叫，另一個聒噪爭吵。動物如此，人尤為烈，而且為了功名利祿，不管山高水長路途遙遠，也要試試看。

元朝的國都叫做大都，也就是今日的北京。為何卻說功名盡在長安道呢？長安是古代許多朝代的國都，唐朝的國都也在長安，唐朝是中國歷史上強盛的王朝，並吸引許多國家的民眾來唐朝留學、經商。日本和尚來唐朝以後，吸收唐朝文化，創造了平假名與片假名，還促成了日本天皇推動大化革新。長安的地位具有象徵意義。來往長安道的人這麼多，其實也只有兩種人，一種人為名，另一種人為利。陳草庵以長安道來做比喻，說明世界上的人爭名奪利、明爭暗鬥。

江湖打滾歷練滄桑，歲月總是催人老，回頭看看不遠千山萬水走過的來時路，青山依舊青翠美好，人卻已經衰老憔悴了。

認識漢字

「山」是很容易辨識的象形文字。我們看見山時，經常是看見高高低低的一群山。因此「山」字就出現了有高有低的山巒形狀了。

天淨沙

◎馬致遠

枯藤老樹昏鴉，

小橋流水人家，

古道西風瘦馬，

夕陽西下，

斷腸人在天涯。

翻譯

遠景，枯藤纏繞著老樹，黃昏時刻，一隻烏鴉棲息在老樹上。中間的景色則可看見一個小小的木橋，橋下有淙淙的流水，附近住著人家。近景則是流浪異鄉的遊子，在秋天清冷的古道裡騎著一匹瘦馬。夕陽正要慢慢的西下，遊子卻是心傷斷腸，獨立蒼茫。

賞析

這首〈天淨沙〉是元曲中非常著名的小令。剽悍的蒙古人建立了橫跨歐、亞、非洲的版圖，並且消滅了南宋，建立元朝。但元朝以武力統一天下，不但重武輕文，還鄙夷讀書人，十等人中，讀書人排第九，只比乞丐高，比娼妓還不如，可以想像讀書人遭到的重大挫折。

馬致遠跟當時許多讀書人一樣，希望能夠在朝為官，為民服務。但是他的希望落空了，不論他怎麼努力，也只能在蒙古人之下當個小官員。馬致遠在官場沉浮幾年後，選擇過隱居的生活。從他自號東籬就可以看出，他嚮往採菊東籬下的陶淵明，過著所謂「酒中仙、塵外客、林間友」的生活，不再受到蒙古官員的頤指氣使。

〈天淨沙〉描寫的是秋天的景物。小令一開始先描寫遠景，秋天蕭索的景色立刻出現眼前，令人感到清冷悲涼。但眼光再往近處瞧，卻是「小橋流水人家」，充滿生機與溫暖，讓遊子異常羨慕。遊子獨自騎著一匹瘦馬，佇立在古道上吹風，一股哀傷的心情襲上心頭。誰能夠了解斷腸人的秋思呢？

馬致遠與關漢卿、白樸、鄭光祖等人合稱「元曲四大家」，流傳的作品多寫神仙道化，所以又被稱為「馬神仙」。而他所創作的〈天淨沙〉小令則被推崇是「秋思之祖」。

認識漢字

「馬」是象形字，以馬的外形所創造出來的。「馬」字的四個點，就是馬腿，上面的橫豎筆劃，其實是馬的鬃毛與形態。

四塊玉

◎關漢卿

自送別，　心難捨，

一點相思幾時絕？

憑闌袖拂楊花雪。

溪又斜，　山又遮，

人去也。

翻譯

送別了伊人以後，心裡還是感到不捨，這樣的思念要到什麼時候才會停止呢？紛飛的楊花像雪一樣飄落下來，阻擋了我的視線。我靠著欄杆揮揮衣袖，想要趕走楊花。溪流蜿蜒崎嶇，山巒又遮蔽，我所想念的人已經看不到身影而遠離了。

賞析

關漢卿是元朝重要的劇作家，在戲劇地位上，相當於英國的莎士比亞。可惜的是，他生錯時代，生活在「九儒十丐」的元朝，無法發揮抱負，只好將自己滿腔的熱情與才華，寄託在劇作中。當時的劇作家地位並不高，所以關漢卿的事蹟也沒被記下多少，但他的劇作創作量相當豐富，大約有六十七部，雖然僅存十八部，卻可從其他相關資料中拼湊出他的生平。

在元曲四大家中，關漢卿排名第一。他的劇作《竇娥冤》被王國維評論為世界級的悲劇作品。關漢卿的劇作相當出色，小令也寫的極好，像這首〈四塊玉〉，對別離的心情有著相當細膩的描寫。

這首小令描寫送別的哀傷心情。兩個人分手送別以後，其中一人還是感到依依不捨，還想見到伊人身影，於是跑到高樓，憑靠著欄杆從高處眺望。哪知道天空中瀰漫著楊花，就像下雪似的阻擋了視線。好不容易趕走了楊花，眼前卻看到彎彎曲曲的溪流，重重的山巒也來遮蔽視野，想念的伊人早就走遠了。

〈四塊玉〉共有四首，每首都有一個主題與宮調。這首的宮調是「南呂」，這個宮調帶著哀傷的感覺。元曲中的小令或雜劇，比較通俗白話。這是因為讀書人與民間接觸多，感受到基層的質樸與生命力，語言的應用更加生動靈巧。

認識漢字

「人」是象形字。看起來像是一個人的側面，距離稍遠，頭部些許下垂，手微微舉在身體的前方。

創作的點點滴滴

◎王書曼

爲這本詞曲繪圖是一個很大的挑戰！不但要兼顧詞曲的意境，還要在其中勾勒出漢字的形象。因此在構思圖像時，花了許多時間營造畫面。而許多創作細節的點點滴滴，願在這裡與您分享。

在構思角色造型時，爲了不同於以往的印象，加入了自己對詞曲內容的感受，及延伸的想像，並設計一些小動物、小怪獸、小精靈等，穿插於場景中。人物及場景的設計也適時保留東方色彩，以不失詞曲本質。

在〈定風波〉中，主人翁拄著竹杖，腳穿草鞋，踩著兩片葉子，一派輕鬆自在。人類最忠實的朋友「狗」，在一旁陪伴著主人，狗兒的手肘和膝蓋有著「福」字，象徵狗來福。此外，主角身後悄悄跟著一個叫做「竹」的精靈，精靈的眉毛鼻子嘴巴都是以竹的元素構成。精靈被主角身上的竹笛發出的聲響所吸引著，一旁的竹子也不亦樂乎……，這一切都在詞曲的背後悄悄發生。而〈生查子〉中，則以小年獸去陪襯主角，讓神祕的頑皮突破畫中沉重的氣氛。

除此之外，書中多首李後主的作品，流露出作者在宋朝的政治壓力下，所無力擺脫的命運，以及沉重的哀愁感。因此，我以「風」的造型來詮釋李後主的詞。一來是風的無拘無束、來去自如，正好和李後主的處境形成強烈對比；二來是當時的李後主似乎也只有風能傾聽他的聲音，做他的朋友了。這些都是我自己作畫時的感受，在其他篇幅中也有許多小插曲，等著你們去發現喔。

在這幾首詞曲中，最難呈現的是〈浪陶沙〉。因爲在此篇詞中，挑選出來要解說的象形文字是「水」，但水無固定的形體，偏偏又占據了主要的畫面。經過一再修改，最後決定採用自己創造出的水的造型。也因畫面考量，只取詞中「流水落花春去也」作表達。畫面中的三條流水，口中不斷吐著水柱，身子帶著水草及落花，即將離去。其中一條流水頂著一個記憶的箱子（表示李後主曾經擁有的東西及回憶），也跟著流水，遠去。

媒材方面，主要是水彩，不選擇整幅勾邊的方式，而採用較自由的表現處理，有些地方勾勒邊線，有些地方則放掉。同時，爲了增加畫面的豐富性，噴灑一些顏料及使用留白膠或乾刷做一些變化，並以粉彩修飾調子，希望讓畫面更加豐富，並有更多的筆趣及表情在其中。

王書曼

天涼好個秋——讀詞曲，學漢字　賞析別冊

定風波／蘇軾　浣溪沙／晏殊　生查子／歐陽脩　西江月／辛棄疾
卜算子／李之儀　漁歌子／張志和　虞美人／李煜
花非花／白居易　醜奴兒／辛棄疾　相見歡／李煜　望江南／李煜
浪淘沙／李煜　山坡羊／陳草庵　天淨沙／馬致遠　四塊玉／關漢卿